CHINESE
MADE
EASY FOR KIDS

3

Textbook

Traditional Characters Version

輕鬆學漢語 少兒版（課本）

Yamin Ma

Joint Publishing (H.K.) Co., Ltd.
三聯書店（香港）有限公司

Chinese Made Easy for Kids *(Textbook 3)*

Yamin Ma

Editor	Luo Fang
Art design	Arthur Y. Wang, Annie Wang, Yamin Ma
Cover design	Arthur Y. Wang, Zhong Wenjun
Graphic design	Zhong Wenjun
Typeset	Zhong Wenjun, Zhou Min

Published by
JOINT PUBLISHING (H.K.) CO., LTD.
Rm. 1304, 1065 King's Road, Quarry Bay, Hong Kong

Distributed in Hong Kong by
SUP PUBLISHING LOGISTICS (HK) LTD.
3/F., 36 Ting Lai Road, Tai Po, N.T., Hong Kong

First published January 2006
Third impression June 2010
Copyright©2006 Joint Publishing (H.K.) Co., Ltd.

E-mail:publish@jointpublishing.com

輕鬆學漢語 少兒版 （課本三）

編　著　馬亞敏

責任編輯	羅　芳
美術策劃	王　宇　王天一　馬亞敏
封面設計	王　宇　鍾文君
版式設計	鍾文君
排　版	鍾文君　周　敏

出　版	三聯書店（香港）有限公司	
	香港鰂魚涌英皇道1065號1304室	
香港發行	香港聯合書刊物流有限公司	
	香港新界大埔汀麗路 36 號 3 字樓	
印　刷	中華商務彩色印刷有限公司	
	香港新界大埔汀麗路 36 號 14 字樓	
版　次	2006年1月香港第一版第一次印刷	
	2010年6月香港第一版第三次印刷	
規　格	大16開 (210×260mm) 128面	
國際書號	ISBN 978-962-04-2521-9	

© 2006 三聯書店（香港）有限公司

Acknowledgements

The author is grateful to all the following people who have helped to bring the books to publication:

- 李昕先生 、陳翠玲女士 who trusted my ability and expertise in the field of Chinese language teaching and learning, and offered support during the period of publication.
- Editor, 羅芳, graphic designers, 鍾文君 、周敏 、林敏霞 for their meticulous work. I am greatly indebted to them.
- Art consultants, Arthur Y. Wang and Annie Wang, whose guidance, creativity and insight have made the books beautiful and attractive. Artists, 龔華偉 、陸穎 、萬瓊 、顧海燕 、Arthur Y. Wang and Annie Wang for their artistic ability in the illustrations.
- Ms. Xinying Li who gave valuable suggestions in the design of this series and contributed some exercises and rhymes. She also gave me constructive advice during the process of writing this series and proofread the manuscripts. I am very grateful for her encouragement and support for my work.
- Ms. Xinying Li and Edward Qiu who assisted the author with the sound recording.
- Finally, members of my family who have always supported and encouraged me to pursue my research and work on these books. Without their continual and generous support, I would not have had the energy and time to accomplish this project.

INTRODUCTION

- The primary goal of this series *Chinese Made Easy for Kids* is to help total beginners, particularly primary school students, build a solid foundation for learning Chinese as a second/foreign language. This series is designed to emphasize the development of communication skills in listening and speaking. The unique characteristic of this series is the use of the Communicative Approach, which also takes into account the differences between Chinese and European languages, in that the written Chinese characters are independent of their pronunciation.

- *Chinese Made Easy for Kids* is composed of 4 colour textbooks (Books 1 to 4), each supplemented by a CD and a workbook in black and white.

COURSE DESIGN

Chinese Made Easy for Kids (Books 1 to 4) have been written to provide a solid foundation for the subsequent use of *Chinese Made Easy* (Books 1 to 5).

- **Phonetic symbols and tones**

Children will be exposed to the phonetic symbols and tones from the very beginning. The author believes that children will overcome temporary confusion within a short period of time, and will eventually acquire good pronunciation and intonation of Mandarin with on-going reinforcement of pinyin practice. Throughout, pinyin is printed in light blue or grey above each character, to draw children's attention to the characters.

- **Chinese characters**

Chinese characters in this series are taught according to the character formation system. Once the children have a good grasp of radicals and simple characters, they will be able to analyze most of the compound characters they encounter, and to memorize new characters in a logical way.

- **Vocabulary and sentence structures**

Children at this age tend to learn vocabulary related to their environment. Therefore, the chosen topics are: family members, animals, food, colours, clothing, daily articles, school facilities, modes of transport, etc. The topics, vocabulary and sentence structures in previous books will reappear in later books of this series to consolidate and reinforce memory.

- **Textbook: listening and speaking skills**

The textbook covers new vocabulary and simple sentence structures with particular emphasis on listening and speaking skills. Children will develop oral communication skills through audio exercises, dialogues, questions and answers, and speaking practice. In order to reinforce and consolidate knowledge, the games in the textbook are designed to create a fun learning environment. The accompanying rhymes in the textbook mainly consist of new vocabulary in each lesson to aid language acquisition.

- **Workbook: character writing and reading skills**

A variety of exercises are carefully designed to suit the children's ability. The children will be expected to trace and copy characters, and to develop reading skills by reading phrases, sentences and short paragraphs. The difficulty level of the exercises gradually increases as the children become more confident in their ability to use Chinese.

COURSE LENGTH

- This series is designed for primary 1 to 6 students. With one lesson daily, able and highly motivated children might complete one book within one academic year. At the end of Book 4, they can move on to the series *Chinese Made Easy* (Books 1 to 5) previously published. As the four books of this series are continuous and ongoing, each book can be taught within any time span.

HOW TO USE Chinese Made Easy for Kids

Here are a few suggestions from the author:

The teacher should:

- provide every opportunity for the children to develop their listening and speaking skills. A variety of speaking exercises included in the textbook can be modified according to the children's ability
- go over the phonetic exercises in the textbook with the students. At a later stage, the children should be encouraged to pronounce new pinyin on their own
- emphasize the importance of learning basic strokes and stroke order of characters. The teacher should demonstrate the stroke order of each character to total beginners. Through regular practice of counting strokes of characters, the children will find it easy to recognize the old and new characters
- guide the children to analyze new characters and encourage them to use their imagination to aid memorization
- modify the games in the textbook according to children's abilities
- skip, modify or extend some exercises according to the children's levels. A wide variety of exercises in the workbook can be used for both class work and homework
- encourage children to recite times table attached at the end of Book 3 and 4 of this series. The author believes that being able to recite the Chinese times table will facilitate the children's learning of multiplication.

The children are expected to:

- trace the new characters in each lesson
- memorize radicals and simple characters
- recite the rhyme in each lesson
- listen to the recording of the text a few times in Book 3 and 4, and tell the story if they can. As these texts are in picture book form, the children should find them appealing.

The text for each lesson, the audio exercises, phonetic symbols and rhymes are on the CD attached to the textbook. The symbol indicates the track number. For example, (CD)T1 is track one.

Yamin Ma

January 2006, Hong Kong

CONTENTS

dì yī kè
第一課
gōng zòu
工作

(CD) T1

①

wǒ yǒu wài gōng　 wài pó　　 tā men měi tiān zài jiā　 gōng zuò
我有外公、外婆。他們每天在家"工作"。

②

wǒ yǒu yí ge jiù jiu hé
我有一個舅舅和
yí ge ā yí　　 tā men
一個阿姨。他們
dōu gōng zuò
都工作。

③ 阿姨家有一隻小白兔。它每天在
$\bar{a}$ yí jiā yǒu yì zhī xiǎo bái tù   tā měi tiān zài

家吃吃喝喝。它不"工作"。
jiā chī chi hē hē   tā bù   gōng zuò

New words:

① 外 (relatives) of one's mother; outer
wài

② 公 mother's father
gōng

　外公 grandfather (maternal)
wài gōng

③ 婆 old woman
pó

　外婆 grandmother (maternal)
wài pó

④ 作 do; make
zuò

　工作 work
gōng zuò

⑤ 舅 mother's brother
jiù

　舅舅 uncle (maternal)
jiù jiu

⑥ 阿 prefix
$\bar{a}$

⑦ 姨 mother's sister
yí

　阿姨 aunt (maternal)
$\bar{a}$ yí

⑧ 隻 measure word
zhī

⑨ 它 it
tā

2

1 **Say the family members in Chinese.**

FATHER'S SIDE   MOTHER'S SIDE

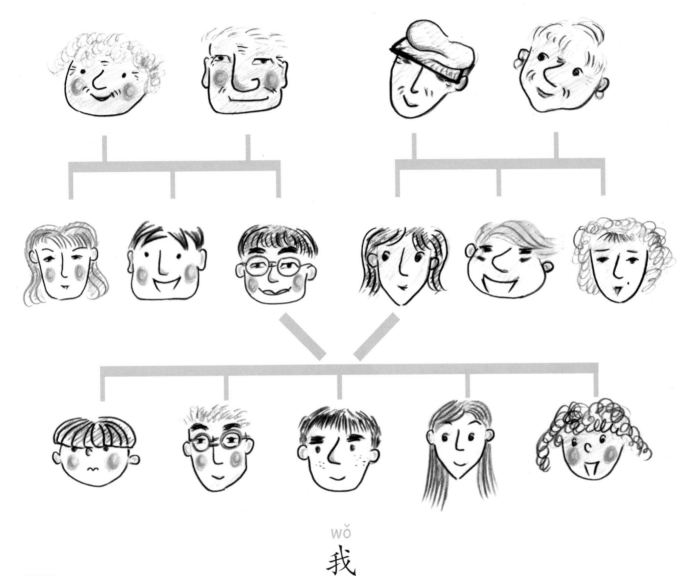

wǒ
我

2 **Project.**

Draw a family tree and introduce every family member to the class.

3 Recite the times table on page 120.

yī yī dé yī
一一得一。

4 Look, read and match.

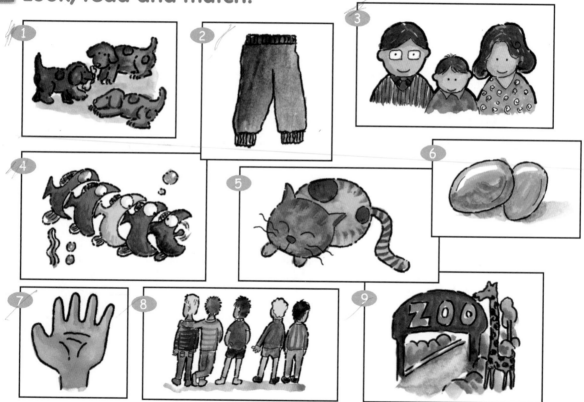

	yì zhī māo		sān zhī gǒu		yí ge dòng wù yuán
5	a) 一隻貓	1	b) 三隻狗	9	c) 一個動物園
	wǔ tiáo yú		liǎng ge jī dàn		yì jiā sān kǒu
4	d) 五條魚	6	e) 兩個鷄蛋	3	f) 一家三口
	yì zhī shǒu		yì tiáo kù zi		wǔ ge nán shēng
7	g) 一隻手	2	h) 一條褲子	8	i) 五個男生

4

5 Ask your classmates the following questions.

1) nǐ wài gōng hái zài ma tā zhù zài nǎr
你外公還在嗎？他住在哪兒？

2) nǐ yǒu jiù jiu ma yǒu jǐ ge
你有舅舅嗎？有幾個？

3) nǐ jiā de diàn huà hào mǎ shì duō shao
你家的電話號碼是多少？

4) nǐ shì nǎ guó rén nǐ huì shuō shén me yǔ yán
你是哪國人？你會說什麼語言？

5) nǐ zǎoshang jǐ diǎn shàngxué nǐ zěn me shàngxué
你早上幾點上學？你怎麼上學？

6) nǐ bà ba gōng zuò ma tā zěn me shàng bān
你爸爸工作嗎？他怎麼上班？

6 CD T2 Listen, clap and practise.

wài gōng wài pó bù gōng zuò
外公、外婆不工作，
jiù jiu ā yí dōu gōng zuò
舅舅、阿姨都工作。
xiǎo bái tù ya xiǎo bái tù
小白兔呀小白兔，
bú shì chī lai jiù shì hē
不是吃來就是喝。

7 Learn the characters.

běi 北 north

xī 西 west

dōng 東 east

nán 南 south

8 (CD)(T3) Listen to the recording. Tick what is correct and cross what is incorrect.

9 **Game.**

> **INSTRUCTIONS:**
>
> 1 The whole class may join the game.
>
> 2 The teacher starts a sentence and a student is asked to complete it.
>
> 3 Those who cannot complete the sentences, or say the wrong words are out of the game.

我喜歡

養寵物

EXAMPLE:
老師 ：我喜歡⋯⋯
(lǎo shī) (wǒ xǐ huan)

學生 ：⋯⋯養寵物。
(xuésheng) (yǎng chǒng wù)

10 **Speaking practice.**

EXAMPLE:

我家有六口人：爺爺、
(wǒ jiā yǒu liù kǒu rén) (yé ye)

奶奶、爸爸、媽媽、哥
(nǎi nai) (bà ba) (mā ma) (gē)

哥和我。我爺爺今年六
(ge hé wǒ) (wǒ yé ye jīn nián liù)

十七歲。他屬⋯⋯
(shí qī suì) (tā shǔ)

IT IS YOUR TURN!

Introduce your family members to the class.

dì èr kè
第二課
sān gè péng you
三個朋友

CD T4

wáng tiān yī yǒu sān ge péng you
① 王天一有三個朋友。

②

hú xiǎo guāng xiàn zài zhù zài
胡小光現在住在
běi jīng　　tā de gè zi
北京。他的個子
ǎi ǎi de　　tóu fa duǎn
矮矮的，頭髮短
duǎn de
短的。

8

③

huáng xiǎo hóng xiàn
黃 小 紅 現
zài zhù zài shàng
在 住 在 上
hǎi　　　tā de
海 。 她 的
gè zi gāo gāo
個 子 高 高
de　　tuǐ cháng
的 ， 腿 長
cháng de
長 的 。

④ tián bīng yě zhù zài shàng hǎi　　tā de gè zi bù gāo　　tā
田 冰 也 住 在 上 海 。 她 的 個 子 不 高 。 她
de tóu fa juǎn juǎn de　　tā dài yǎn jìng
的 頭 髮 鬈 鬈 的 。 她 戴 眼 鏡 。

New words:

1 朋 péng friend

2 友 yǒu friend　朋友 péngyou friend

3 京 jīng capital　北京 běijīng Beijing

4 個子 gèzi height

5 矮 ǎi short (in height)

6 短 duǎn short (in length)

7 海 hǎi sea　上海 shànghǎi Shanghai

8 腿 tuǐ leg

9 鬈 juǎn curl

10 戴 dài put on; wear

11 鏡 jìng mirror

眼鏡 yǎnjìng glasses

1 Look, read and match.

5 a) 他很胖。 tā hěn pàng

1 b) 他很高。 tā hěn gāo

4 c) 她很瘦。 tā hěn shòu

2 d) 他很矮。 tā hěn ǎi

3 e) 她的頭髮很長。 tā de tóufa hěn cháng

6 f) 他的臉圓圓的。 tā de liǎn yuányuán de

10

2 Learn the characters.

zhí

直

straight

 ①

 ②

qǔ

曲

crooked

3 Recite the times table on page 120.

yī èr dé èr   èr èr dé sì

一二得二；二二得四。

4 Ask your classmates the following questions.

nǐ bà ba de gè zi gāo ma   tā dài yǎn jìng ma

1) 你爸爸的個子高嗎？他戴眼鏡嗎？

nǐ de tóu fa shì shén me yán sè de

2) 你的頭髮是什麼顏色的？

nǐ de tóu fa shì zhí de ma

3) 你的頭髮是直的嗎？

nǐ de liǎn shì yuán de ma

4) 你的臉是圓的嗎？

5 (CD)(T5) **Listen, clap and practise.**

wǒ yǒu liǎng ge hǎo péng you
我有兩個好朋友：

yí ge gè zi gāo　　yí ge gè zi ǎi
一個個子高，一個個子矮，

yí ge dài yǎn jìng　　yí ge tóu fa juǎn
一個戴眼鏡，一個頭髮鬈，

yí ge zài běi jīng　　yí ge zài shàng hǎi
一個在北京，一個在上海。

6 **Game.**

INSTRUCTIONS:

1 The whole class may join the game.

2 One student comes to the front and imitates an animal. The rest of the class guesses what the animal is.

7 (CD)(T6) **Listen to the recording. Tick what is correct and cross what is incorrect.**

8 **Speaking practice.**

EXAMPLE:

tā hěn ǎi
他很矮。

Useful words:

gāo
a) 高

ǎi
b) 矮

zhí
c) 直

juǎn
d) 鬈

duǎn
e) 短

cháng
f) 長

pàng
g) 胖

shòu
h) 瘦

9 **Project.**

Draw your favourite cartoon character and describe him/her to the class.

dì sān kè
第三課
tā chuān lián yī qún
她穿連衣裙

(CD) T7

huáng xiǎo hóng jīn tiān chuān lián yī qún
1 黄小紅今天穿連衣裙，
jiǎo shang chuān wà zi hé pí xié
腳上穿襪子和皮鞋。

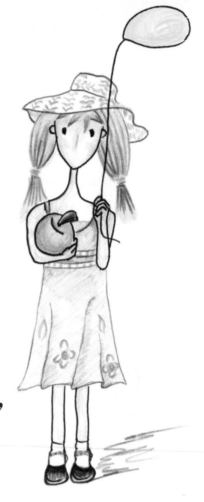

tián bīng jīn tiān chuān hàn
2 田冰今天穿汗
shān hé duǎn kù　　jiǎo shang
衫和短褲，腳上
chuān liáng xié
穿涼鞋。

14

New words:

1 連 lián link 連衣裙 lián yī qún dress

2 襪 wà socks 襪子 wà zi socks

3 鞋 xié shoes 皮鞋 pí xié leather shoes

4 汗 hàn sweat 汗衫 hàn shān T-shirt

5 短褲 duǎn kù shorts

6 涼 liáng cool 涼鞋 liáng xié sandals

1 Look, read and match.

1 a) 皮鞋 pí xié

4 b) 長褲 cháng kù

7 c) 涼鞋 liáng xié

2 d) 汗衫 hàn shān

8 e) 大衣 dà yī

3 f) 短褲 duǎn kù

5 g) 襪子 wà zi

6 h) 連衣裙 lián yī qún

2 Learn the characters.

yún
雲
cloud

①

②

shí
石
stone

3 Game.

INSTRUCTIONS:

1 The whole class may join the game.

2 The teacher says one item in Chinese, and the students are expected to say its colour(s).

紅色

蘋果

黃色

EXAMPLE:

lǎo shī　　píng guǒ
老師：蘋果。

xué sheng　　hóng sè
學生1：紅色。

xué sheng　　huáng sè
學生2：黃色。

4 Say the colours and clothes in Chinese.

① ② ③ ④⑤ ⑥ ⑦ ⑧

16

5 Ask your partner the following questions.

1) 你叫什麽名字？你屬什麽？
(nǐ jiào shén me míng zi? nǐ shǔ shén me?)

2) 你今年幾歲？你上幾年級？
(nǐ jīn nián jǐ suì? nǐ shàng jǐ nián jí?)

3) 你喜歡什麽顏色？你喜歡穿汗衫嗎？
(nǐ xǐ huan shén me yán sè? nǐ xǐ huan chuán hàn shān ma?)

4) 你喜歡吃什麽？你喜歡喝什麽？
(nǐ xǐ huan chī shén me? nǐ xǐ huan hē shén me?)

5) 你有什麽愛好？
(nǐ yǒu shén me ài hào?)

6 Write the characters.

7 CD T8 Listen to the recording. Tick what is correct and cross what is incorrect.

1 ✓

2

3

4

5

6

8 Recite the times table on page 120.

yī sān dé sān　　　　　sān sān dé jiǔ
一三得三 ；……三三得九。

9 CD T9 **Listen, clap and practise.**

hóng hàn shān pèi lǜ duǎn kù
紅 汗 衫 配 綠 短 褲 ，

nǐ shuō hǎo kàn bù hǎo kàn
你 說 好 看 不 好 看 ？

hēi wà zi pèi bái liáng xié
黑 襪 子 配 白 涼 鞋 ，

nǐ shuō hǎo kàn bù hǎo kàn
你 說 好 看 不 好 看 ？

10 **Speaking practice.**

EXAMPLE:

zhè shì wǒ jiù jiu   tā jīn nián sān
這 是 我 舅 舅 。他 今 年 三

shí suì   tā shǔ hǔ   tā xiàn zài
十 歲 。他 屬 虎 。他 現 在

zhù zài měi guó   tā yǒu yí ge ér
住 在 美 國 。他 有 一 個 兒

zi hé yí ge nǚ ér
子 和 一 個 女 兒 。……

IT IS YOUR TURN!

Show a photo of your relatives.
Introduce them to the class.

11 **Project.**

Design five types of shoes and tell the class the names and
colours of the shoes.

第四課
dì sì kè

弟弟穿大衣
dì di chuān dà yī

CD T10

xiǎo guāng jīn tiān chuān máo yī
① 小光今天穿毛衣、

wài tào hé niú zǎi kù
外套和牛仔褲。

tā dì di jīn tiān chuān dà yī dài mào zi
② 他弟弟今天穿大衣，戴帽子、

wéi jīn hé shǒu tào
圍巾和手套。

20

New words:

1. máo 毛 wool　máo yī 毛衣 sweater

niú zǎi kù 牛仔褲 jeans

2. tào 套 cover　wài tào 外套 coat

4. dà yī 大衣 overcoat

shǒu tào 手套 gloves; mittens

5. mào 帽 cap; hat　mào zi 帽子 cap; hat

3. zǎi 仔 son

6. wéi 圍 surround　wéi jīn 圍巾 scarf

1 Look, read and match.

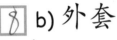
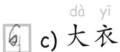

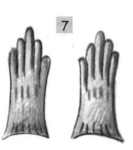

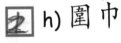

5 a) máo yī 毛衣

8 b) wài tào 外套

6 c) dà yī 大衣

4 d) niú zǎi kù 牛仔褲

3 e) liáng xié 涼鞋

7 f) shǒu tào 手套

1 g) mào zi 帽子

2 h) wéi jīn 圍巾

2 Learn the characters.

fēng 風 wind

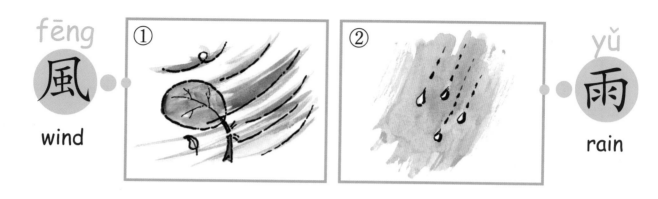

① ②

yǔ 雨 rain

3 CD T11 Listen, clap and practise.

chuān máo yī　jiā wài tào
穿毛衣，加外套，

zài chuān yì tiáo niú zǎi kù
再穿一條牛仔褲。

dài mào zi　jiā wéi jīn
戴帽子，加圍巾，

zài dài yí fù pí shǒu tào
再戴一副皮手套。

4 Recite the times table on page 120.

yī sān dé sān　　sān sān dé jiǔ
一三得三；……三三得九。

22

5 Colour the pictures and describe them in Chinese.

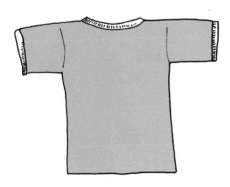

EXAMPLE:

fěn hóng sè　de　hàn shān
粉红色的汗衫

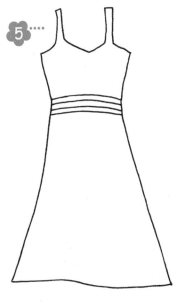

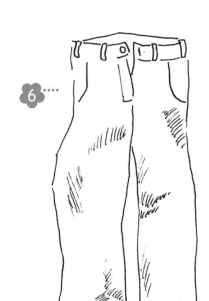

6 (CD)(T12) **Listen to the recording. Tick what is correct and cross what is incorrect.**

1 ✕

2

3

4

5

6

7 **Describe the pictures in Chinese.**

①

②

chuáng shang yǒu
床 上 有……

yī guì li yǒu
衣 櫃 裡 有……

8 Describe the pictures in Chinese.

EXAMPLE:

tā dài wéi jīn
他戴圍巾。

25

9 Game.

INSTRUCTIONS:

1 The whole class may join the game.

2 One student describes one of his teachers and the rest tries to guess who he/she is.

EXAMPLE:

tā shì nán de　　tā de gè zi gāo gāo de　　liǎn cháng cháng de　　tā
他是男的。他的個子高高的，臉長長的。他
dài yǎn jìng　　tā jīn tiān chuān bái chèn shān hé lán kù zi
戴眼鏡。他今天穿白襯衫和藍褲子。

10 Ask your classmates the following questions.

jīn tiān jǐ yuè jǐ hào　　jīn tiān xīng qī jǐ
1) 今天幾月幾號？今天星期幾？

nǐ měi tiān jǐ diǎn qù shàng xué　　xiàn zài jǐ diǎn
2) 你每天幾點去上學？現在幾點？

nǐ jīn tiān chuān shén me yī fu
3) 你今天穿什麼衣服？

nǐ de hàn yǔ lǎo shī jīn tiān chuān shén me yī fu
4) 你的漢語老師今天穿什麼衣服？

26

11 Speaking practice.

EXAMPLE:

tā chuān wài tào　　cháng kù hé pí xié　　　tā
她 穿 外 套、長 褲 和 皮 鞋。她
dài wéi jīn hé shǒu tào
戴 圍 巾 和 手 套。

① ② ③

12 Project.

Design five types of clothes for the fashion show and tell the class the names and colours of the clothes.

27

dì wǔ kè
第五課
zuó tiān xià xuě le
昨天下‧雪了

CD T13

1 zuó tiān xià xuě le
昨天下雪了，

hěn lěng   xiǎo xuě rén hěn gāo xìng
very 很冷。小雪人很高興。

2
jīn tiān guā (dà) fēng   xià
今天颳大風，下
(dà) yǔ   tā de shēn tǐ
大雨。它的身體
kāi shǐ huà le
開始化了。

28

míngtiān duō yún　　bù lěng le
③ 明天多雲，不冷了。
xiǎo xuě rén yào bú jiàn le
小雪人要不見了！

New words:

1. zuó 昨 yesterday　　zuó tiān 昨天 yesterday
2. xuě 雪 snow　　xià xuě 下雪 snowing
   xuě rén 雪人 snowman
3. lěng 冷 cold
4. xìng 興 excitement　　gāo xìng 高興 happy
5. guā 颱 (of wind) blow　　guā fēng 颱風 windy
6. xià yǔ 下雨 raining

7. shēn 身 body　　shēn tǐ 身體 body
8. kāi 開 open; turn on
9. shǐ 始 begin; start　　kāi shǐ 開始 start
10. huà 化 melt
11. míngtiān 明天 tomorrow
12. duō yún 多雲 cloudy

29

1 Look, read and match.

3 a) 今天下雪，很冷。
jīn tiān xià xuě　hěn lěng

4 b) 今天多雲。
jīn tiān duō yún　　　Drizzle

2 c) 今天下毛毛雨，不冷。
jīn tiān xià máo máo yǔ　　bù lěng

1 d) 今天下大雨。
jīn tiān xià dà yǔ

2 Say the numbers in Chinese.

1) 十一 …… 二十
　shí yī　　　èr shí

2) 三十五 …… 五十
　sān shí wǔ　　wǔ shí

3) 六十六 …… 七十四
　liù shí liù　　qī shí sì

4) 八十 …… 一百
　bā shí　　yì bǎi

3 Learn the characters.

lì
立
stand

① ②

shān
山
mountain

4 CD T14 Listen to the recording. Tick what is correct and cross what is incorrect.

5 Colour the pictures and describe each of them.

EXAMPLE:

lù sè de máo yī
綠色的毛衣

風衣

大衣

襯衫

外套

6 Recite the times table on page 120.

yī sì dé sì   sì sì shí liù
一四得四 ；……四四十六。

32

7 Project.

Draw a picture with mountains, trees, rivers, little houses and animals. Describe the picture to the class.

8 Speaking practice.

sān yuè qī rì — 三月七日 — zuó tiān 昨天
sān yuè bā rì — 三月八日 — jīn tiān 今天
sān yuè jiǔ rì — 三月九日 — míngtiān 明天

EXAMPLE:
zuó tiān xià dà yǔ 昨天下大雨。
jīn tiān xià máo mao yǔ 今天下毛毛雨。
míngtiān duō yún 明天多雲。

①

shí èr yuè wǔ rì — 十二月五日 — zuó tiān 昨天
shí èr yuè liù rì — 十二月六日 — jīn tiān 今天
shí èr yuè qī rì — 十二月七日 — míngtiān 明天

②

èr yuè shí rì — 二月十日 — zuó tiān 昨天
èr yuè shí yī rì — 二月十一日 — jīn tiān 今天
èr yuè shí èr rì — 二月十二日 — míngtiān 明天

9 Game.

EXAMPLE: 老師：sun.
lǎo shī

學生：日。
xué sheng　rì

INSTRUCTIONS:

1 The class is divided into small groups.

2 Each group is asked to write characters.

3 The group writing more correct characters than any other groups wins the game.

10 CD T15 Listen, clap and practise.

下雪天，天氣冷，
xià xuě tiān　tiān qì lěng

小雪人真高興。
xiǎo xuě rén zhēn gāo xìng

下雨天，雪會化，
xià yǔ tiān　xuě huì huà

小雪人有點兒怕。
xiǎo xuě rén yǒu diǎnr　pà

太陽出，天氣暖，
tài yáng chū　tiān qì nuǎn

小雪人説再見。
xiǎo xuě rén shuō zài jiàn

34

11 Say in Chinese.

rén de shēn tǐ
人的身體

12 Game.

INSTRUCTIONS:

1 The whole class may join the game.

2 The teacher says the month and date in English, and the students are expected to say them in Chinese.

lǎo shī
EXAMPLE: 老師：March 2.
xué sheng   sān yuè èr hào
學 生：三月二號。

dì liù kè
第六課
xiǎo hóu zi
小·猴子

①

上午多雲，不太熱。猴爸
shàng wǔ duō yún   bú tài rè   hóu bà

爸叫小猴子去幹活兒。小
ba jiào xiǎo hóu zi   qù gàn huór   xiǎo

猴子説："這種天氣我不
hóu zi shuō   zhè zhǒng tiān qì wǒ bú

去幹活兒。"
qù gàn huór

36

② 中午天晴了，很熱。猴爸爸叫小猴子去幹
活兒。小猴
子説：“這
種天氣我不
去幹活兒。”

③ 猴爸爸問小
猴子：“你
什麼天氣去
幹活兒？”

小猴子説：“下雪天我去幹活兒。”

New words:

1 上午 shàngwǔ before noon; morning
2 太 tài too
*3 叫 jiào ask
4 幹 gàn do; work
5 活 huó work　幹活兒 gàn huór work

6 種 zhǒng kind; type
7 天氣 tiān qì weather
8 中午 zhōngwǔ noon
9 晴 qíng sunny; clear
10 問 wèn ask

1 Look, read and match.

1

2

3 　 4

5

6

3	a) 下大雨 xià dà yǔ
2	b) 下雪 xià xuě
4	c) 颳大風 guā dà fēng
1	d) 多雲 duō yún
6	e) 晴天 qíng tiān
5	f) 下毛毛雨 xià máo mao yǔ

38

2 Learn the characters.

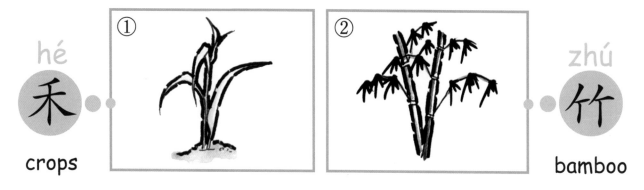

hé
禾
crops

① ②

zhú
竹
bamboo

3 Ask your classmates the questions.

nǐ xǐ huan xià xuě tiān ma
EXAMPLE: 你喜歡下雪天嗎？

	Number of students		Number of students
❶ xià xuě tiān 下雪天	正	❷ guā fēng tiān 颱風天	
❸ xià yǔ tiān 下雨天		❹ dà rè tiān 大熱天	
❺ qíng tiān 晴天		❻ lěng tiān 冷天	

4 🔘T17 **Listen to the recording. Tick what is correct and cross what is incorrect.**

5 **Say the time in Chinese.**

6:00-9:00	9:00-12:00	12:00	12:00-18:00	18:00-24:00
zǎo shang	shàngwǔ	zhōngwǔ	xià wǔ	wǎn shang
早上	上午	中午	下午	晚上

❶ 6:00 早上   ❷ 10:00 上午   ❸ 12:00   ❹ 14:00

❺ 18:00   ❻ 20:00   ❼ 9:00   ❽ 13:00

6 Recite the times table on page 120.

yī sì dé sì   sì sì shí liù
一四得四；……四四十六。

7 Speaking practice.

EXAMPLE:

tā men zǎo shang bā diǎn qù shàng xué
他們早上八點去上學。

8:00

8:30 ②

① 6:45

12:30 ③

15:15 ④

19:00 ⑤

21:00

8 Look, read and match.

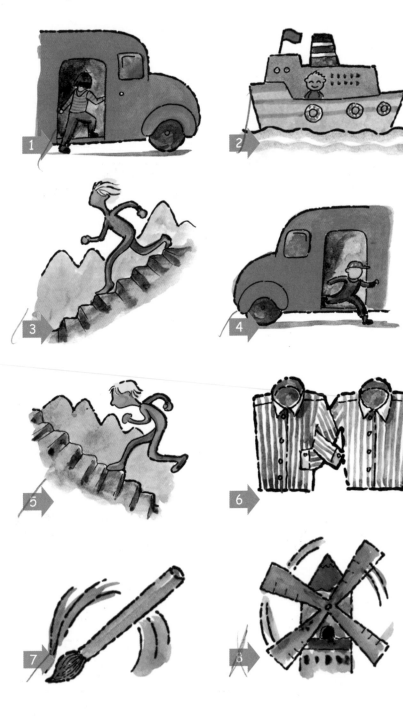

5	a)	shàng shān 上 山
3	b)	xià shān 下 山
1	c)	shàng chē 上 車
4	d)	xià chē 下 車
2	e)	zuò chuán 坐 船
7	f)	máo bǐ 毛 筆
9	g)	bāo zi 包 子
8	h)	fēng chē 風 車
10	i)	kuài chē 快 車
6	j)	chèn shān 襯 衫

9 Game.

INSTRUCTIONS:

1 The whole class may join the game.

2 The teacher says the time in English, and the students are expected to say it in Chinese.

EXAMPLE:

lǎo shī
老師：10:00 am.

xué sheng　shàng wǔ　shí diǎn
學生：上午十點。

10 CD T18 Listen, clap and practise.

xiǎo hóu zi　　zhēn lǎn duò
小猴子，真懶惰，

yì　xīn xiǎng wánr　　bú gàn huór
一心想 玩兒不幹活兒。

duō yún tiān qì　bú gàn huór
多雲天氣不幹活兒，

qíng lǎng tiān qì　bú gàn huór
晴朗天氣不幹活兒。

shén me tiān qì　tā gàn huór
什麼天氣他幹活兒？

xià xuě tiān qì　tā gàn huór
下雪天氣他幹活兒。

11 Project.

Create a story and draw a series of pictures to illustrate it. Tell the story to the class.

dì qī kè
第七課 (CD) T19
shàng kè
上課

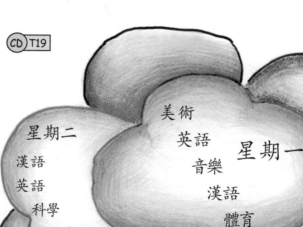

星期二
漢語
英語
科學
歷史

美術
英語
音樂
漢語
體育
星期一

星期四
漢語
電腦
歷史

星期三
數學
電腦
音樂
英語

星期五
地理
數學
英語

1

wǒ jīn tiān shàng le
我今天 上了
wǔ jié kè
五節課。

2
dì yī jié shì měi shù kè
第一節是美術課。

3
dì èr jié shì yīng yǔ kè
第二節是英語課。

44

4

dì sān jié shì yīn yuè kè
第三節是音樂課。

5
dì sì jié shì hàn yǔ kè
第四節是漢語課。

6

dì wǔ jié shì tǐ yù kè
第五節是體育課。

7

yì tiān xià lai　　nǐ zhī dao
一天下來，你知道
wǒ yǒu duō lèi ma
我有多累嗎？

New words:

1 節 *jié* measure word

2 課 *kè* class; period

　上課 *shàng kè* attend class

3 第 *dì* indicating ordinal numbers

4 術 *shù* art; skill　美術 *měi shù* art

5 音 *yīn* sound; voice

6 樂 *yuè* music　音樂 *yīn yuè* music

7 一天 *yì tiān* one day

8 知 *zhī* know

9 道 *dào* say

　知道 *zhī dao* know

10 累 *lèi* tired

1 Look, read and match.

我學漢語

2 a) 數學 *shù xué*

☐ b) 英語 *yīng yǔ*

☐ c) 科學 *kē xué*

☐ d) 漢語 *hàn yǔ*

☐ e) 美術 *měi shù*

☐ f) 音樂 *yīn yuè*

☐ g) 體育 *tǐ yù*

46

2 Learn the characters.

wáng
王
king

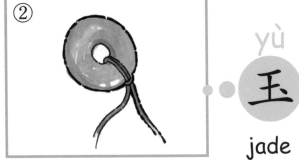

yù
玉
jade

3 Game.

日語

英語、
漢語

INSTRUCTIONS:

1 The whole class may join the game.

2 The teacher names one item of a particular category, and the students add more to it.

3 Those who do not add any or add wrong items are out of the game.

EXAMPLE:

lǎo shī   rì yǔ
老師：日語。

xué sheng   yīng yǔ   hàn yǔ
學生：英語、漢語……

4 Recite the times table on page 120.

yī wǔ dé wǔ   wǔ wǔ èr shí wǔ
一五得五；……五五二十五。

5 (CD)(T20) **Listen, clap and practise.**

wǒ jīn tiān shàng le wǔ jié kè
我今天上了五節課：

yīng yǔ kè　　měi shù kè
英語課、美術課、

hàn yǔ kè　　yīn yuè kè
漢語課、音樂課，

zuì hòu yì jié shì tǐ yù kè
最後一節是體育課。

6 (CD)(T21) **Listen to the recording. Tick what is correct and cross what is incorrect.**

7 **Project.**

Draw your weekly timetable and decorate it.

48

8 Ask your classmates the following questions.

nǐ xǐ huan shàng yīng yǔ kè ma
EXAMPLE: 你喜歡 上 英語課嗎？

Subjects	Number of students	Subjects	Number of students
yīng yǔ 1) 英語	正	diàn nǎo 2) 電腦	
shù xué 3) 數學		měi shù 4) 美術	
hàn yǔ 5) 漢語		yīn yuè 6) 音樂	
kē xué 7) 科學		tǐ yù 8) 體育	

9 Speaking practice.

EXAMPLE:

wǒ jiào máo sì hǎi   wǒ jīn nián jiǔ
我叫毛四海。我今年九
suì   wǒ shàng wǔ nián jí   wǒ xǐ
歲。我上五年級。我喜
huan shàng kē xué kè   wǒ xǐ huan wǒ
歡 上科學課。我喜歡我
de kē xué lǎo shī
的科學老師……

dì bā kè
第八課
shū bāo hé kè běn
書包和課本

CD T22

wǒ de shū bāo li yǒu hěn duō dōng xi yǒu
我的書包裡有很多東西，有

hàn yǔ kè běn
漢語課本、

rì jì běn
日記本、

liàn xí běn
練習本、

50

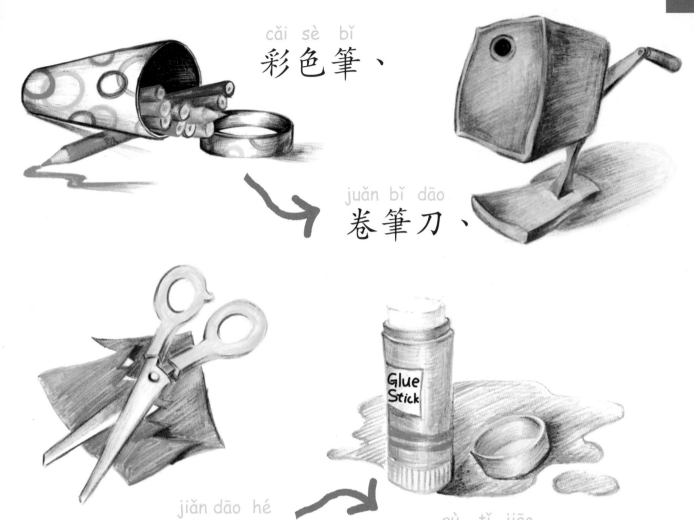

cǎi sè bǐ
彩色筆、

juǎn bǐ dāo
卷筆刀、

jiǎn dāo hé
剪刀和

gù tǐ jiāo
固體膠。

hái yǒu wǒ de xiǎo gǒu
② 還有我的小狗：
wāng wāng wāng
"汪！汪！汪！"

New words:

1 很多 (hěn duō) many; much

2 東西 (dōng xi) thing

3 課本 (kè běn) textbook

4 練 (liàn) practise

5 習 (xí) study 練習 (liàn xí) practise
練習本 (liàn xí běn) exercise book

6 記 (jì) record 日記本 (rì jì běn) diary

7 彩 (cǎi) colour 彩色筆 (cǎi sè bǐ) crayon

8 卷筆刀 (juǎn bǐ dāo) pencil sharpener

9 剪 (jiǎn) scissors; cut 剪刀 (jiǎn dāo) scissors

10 固 (gù) hard; solid

11 膠 (jiāo) glue
固體膠 (gù tǐ jiāo) glue stick

12 汪 (wāng) bark

---

1 Match the Chinese with the pictures.

4	a) 彩色筆 (cǎi sè bǐ)
	b) 卷筆刀 (juǎn bǐ dāo)
2	c) 鉛筆 (qiān bǐ)
5	d) 橡皮 (xiàng pí)
3	e) 剪刀 (jiǎn dāo)
1	f) 固體膠 (gù tǐ jiāo)

52

2 Look, read and match.

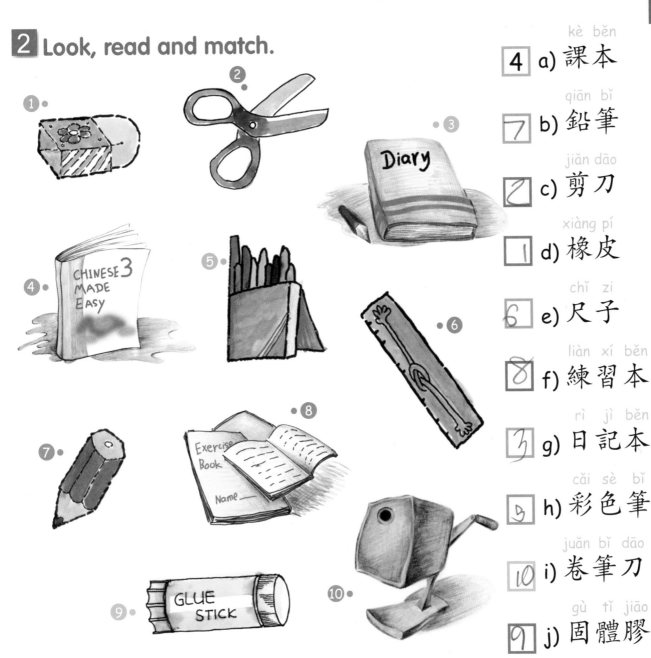

4 a) 課本 *kè běn*

7 b) 鉛筆 *qiān bǐ*

2 c) 剪刀 *jiǎn dāo*

1 d) 橡皮 *xiàng pí*

6 e) 尺子 *chǐ zi*

8 f) 練習本 *liàn xí běn*

3 g) 日記本 *rì jì běn*

5 h) 彩色筆 *cǎi sè bǐ*

10 i) 卷筆刀 *juǎn bǐ dāo*

9 j) 固體膠 *gù tǐ jiāo*

3 Recite the times table on page 120.

一五得五 ；……五五二十五。
yī wǔ dé wǔ ... *wǔ wǔ èr shí wǔ*

4 **Ask your partner the following questions.**

nǐ men xué xiào yǒu jǐ ge jiào shì
1) 你們學校有幾個教室？

nǐ men xué xiào yǒu diàn nǎo shì ma yǒu jǐ ge
2) 你們學校有電腦室嗎？有幾個？

nǐ men xué xiào yǒu cāo chǎng ma yǒu jǐ ge
3) 你們學校有操場嗎？有幾個？

nǐ men xué xiào yǒu lǐ táng ma lǐ táng dà ma
4) 你們學校有禮堂嗎？禮堂大嗎？

nǐ men xué xiào yǒu tǐ yù guǎn ma tǐ yù guǎn dà ma
5) 你們學校有體育館嗎？體育館大嗎？

nǐ men xué xiào yǒu tú shū guǎn ma tú shū guǎn dà ma
6) 你們學校有圖書館嗎？圖書館大嗎？

5 **Learn the characters.**

dīng
丁
man

①

②

bù
不
not; no

54

6 CD T23 **Listen to the recording. Tick what is correct and cross what is incorrect.**

7 **Game.**

wài
EXAMPLE: 外套

INSTRUCTIONS:

1 The class is divided into small groups.

2 Each group is asked to add one word to form a phrase. The students may write pinyin if they cannot write characters.

3 The group making more correct phrases than any other groups wins the game.

8 Speaking practice.

EXAMPLE:

dì shang yǒu zú qiú　　shū hé qiān bǐ
地上 有 足 球、書 和 鉛 筆。

1

2

3

4

5

6

56

9 Game.

INSTRUCTIONS:

1 The class is divided into small groups.

2 The teacher whispers a phrase to the first member of the group. The phrase is whispered along to the last member who is expected to repeat that phrase correctly.

3 If the last student does not repeat the phrase correctly, this group is out of the game.

10 CD T24 Listen, clap and practise.

shū bāo li　dōng xi duō
書包裡，東西多：
rì jì běn　juǎn bǐ dāo
日記本、卷筆刀、
liàn xí běn　cǎi sè bǐ
練習本、彩色筆、
jiǎn dāo　　kè běn　gù tǐ jiāo
剪刀、課本、固體膠。

11 Project.

Design a school on another planet in space. Describe the school to your class.

dì jiǔ kè
第九課
xiǎo gǒu xué yàng
小狗學樣

CD T25

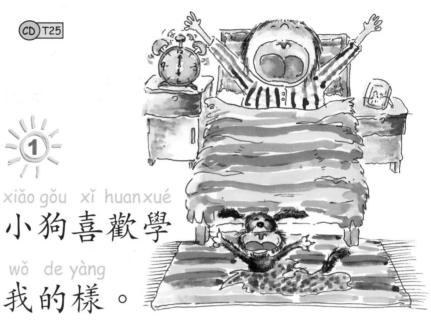

① xiǎo gǒu xǐ huan xué
小狗喜歡學
wǒ de yàng
我的樣。

② wǒ shuā yá　　tā yě shuā yá
我刷牙，它也刷牙。

③ wǒ zuò zuò yè　　tā yě
我做作業，它也
zuò zuò yè
做作業。

58

4

wǒ wán diàn nǎo yóu xì　　　tā
我玩電腦遊戲，它
yě wán diàn nǎo yóu xì
也玩電腦遊戲。

5　wǒ pǎo bù　　tā yě pǎo bù
我跑步，它也跑步。

6
tā xǐ huan jiào　　　wāng
它喜歡叫：“汪！
wāng wāng　　wǒ bù xué
汪！汪！”我不學
tā de yàng
它的樣。

New words:

1. yàng 樣 model
2. shuā 刷 brush　shuā yá 刷牙 brush one's teeth
3. zuò 做 do
4. yè 業 course of study　zuò yè 作業 homework

5. pǎo 跑 run
6. bù 步 step　pǎo bù 跑步 run; jog
7. wán 玩 play
8. yóu 遊 stroll about
9. xì 戲 play; drama　yóu xì 遊戲 game

1 CD T26 **Listen, clap and practise.**

wǒ jiā de xiǎo huā gǒu　xǐ huan xué wǒ de yàng
我家的小花狗，喜歡學我的樣。

wǒ zuò shén me　tā zuò shén me
我做什麼，它做什麼。

wǒ zǒu dao nǎr　tā gēn dao nǎr
我走到哪兒，它跟到哪兒。

nǐ shuō fán bu fán
你說煩不煩！

跟 ↑ gēn follow

煩 ↑ fán ↑ annoying

2 **Recite the times table on page 120.**

yī liù dé liù　liù liù sān shí liù
一六得六；……六六三十六。

60

3 Look, read and match.

		kàn shū
7	a)	看書
		huá bīng
1	b)	滑冰
		huá xuě
3	c)	滑雪
		pǎo bù
6	d)	跑步
		kàn diàn shì
10	e)	看電視
		kàn diàn yǐng
2	f)	看電影
		tī zú qiú
8	g)	踢足球
		tán gāng qín
4	h)	彈鋼琴
		zuò zuò yè
5	i)	做作業
		wán diàn nǎo yóu xì
9	j)	玩電腦遊戲

4 (CD)(T27) **Listen to the recording. Tick what is correct and cross what is incorrect.**

1) ✗ 2) ✓ 3) ✗ 4) ✓

5 **Game.**

看書。

Read books.

EXAMPLE:

xué sheng   kàn shū

學 生 1：看書。

xué sheng

學 生 2：Read books.

INSTRUCTIONS:

1 The class is divided into pairs.

2 Each pair is given a card with only Chinese characters on it. Student A reads out the phrase, and Student B is asked to tell the meaning of the phrase.

3 The pair is out of the game, if he/she pronounces the phrase incorrectly or tells the wrong meaning.

4 In the second round, Student A and Student B reverse roles.

6 **Answer the following questions.**

jīn tiān jǐ yuè jǐ hào   jīn tiān xīng qī jǐ

1) 今天幾月幾號？今天星期幾？

míng tiān jǐ yuè jǐ hào   míng tiān xīng qī jǐ

2) 明天幾月幾號？明天星期幾？

刷牙
shuā yá

62

7 **Speaking practice.**

7:00	起床
7:30	吃早飯
8:00	去上學
8:30	開始上課
13:00	吃午飯
15:20	放學回家
16:00	做作業
18:00	吃晚飯
19:00	看電視
21:00	睡覺

EXAMPLE:

wǒ yì bān qī diǎn qǐ chuáng wǒ
我一般七點起床。我

qī diǎn bàn chī zǎo fàn wǒ bā
七點半吃早飯。我八

diǎn qù shàngxué wǒ zuò xiào chē
點去上學。我坐校車

shàngxué wǒ men bā diǎn bàn kāi
上學。我們八點半開

shǐ shàng kè wǒ xià wǔ yì diǎn
始上課。我下午一點

chī wǔ fàn
吃午飯……

IT IS YOUR TURN!

Introduce your daily routine to the class.

8 **Learn the characters.**

qì
氣
gas

①

②

fēi
飛
fly

63

9 Make short dialogues.

nǐ zhī dao shuí xǐ huan dǎ qiú ma
你知道誰喜歡打球嗎？

wáng tiān yī xǐ huan dǎ qiú
王天一喜歡打球。

wáng tiān yī nǐ xǐ huan dǎ
王天一，你喜歡打

qiú ma
球嗎？

xǐ huan
喜歡。

Phrases:

kàn shū	huá xuě	tī zú qiú	chī kuài cān
1) 看書	2) 滑雪	3) 踢足球	4) 吃快餐
kàn diàn shì	qí zì xíng chē	tán gāng qín	chī xī cān
5) 看電視	6) 騎自行車	7) 彈鋼琴	8) 吃西餐
kàn diàn yǐng	qí mǎ	zuò zuò yè	hē kě lè
9) 看電影	10) 騎馬	11) 做作業	12) 喝可樂
huá bīng	pǎo bù	chī zhōng cān	wán diàn nǎo yóu xì
13) 滑冰	14) 跑步	15) 吃中餐	16) 玩電腦遊戲

64

10 Speaking practice.

爸爸

媽媽

哥哥

爺爺

妹妹

姐姐

弟弟

swag

EXAMPLE:

mèi mei zài zuò zuò yè
妹妹在做作業……

dì shí kè
第十課
dì di bú jiàn le
弟弟不見了

CD T28

1 zài gōng yuán li　　xiǎo dì di bú jiàn le
在公園裡，小弟弟不見了。

dì di bú zài huá huá tī
2 弟弟不在滑滑梯。

dì di bú zài dàng qiū qiān
3 弟弟不在盪秋千。

66

dì di bú zài pāi pí qiú
4 弟弟不在拍皮球。

dì di bú zài zhuō mí cáng
5 弟弟不在捉迷藏。

dì di zài nàr
6 弟弟在那兒。

tā zài shù wū li
他在樹屋裡。

New words:

1. tī 梯 ladder; stairs
   huá tī 滑梯 children's slide
2. dàng 盪 swing
3. qiū 秋 autumn
4. qiān 千 thousand qiū qiān 秋千 swing
5. pāi 拍 clap; pat; dribble

6. zhuō 捉 grab; catch
7. mí 迷 lost
8. cáng 藏 hide zhuō mí cáng 捉迷藏 hide-and-seek
9. nà 那 that nàr 那兒 there
10. shù 樹 tree
11. wū 屋 house

1 Look, read and match.

3 a) liǎng zhī māo 兩隻貓　☐ b) yí ge fēi rén 一個飛人　☐ c) yí ge cǎi sè qì qiú 一個彩色氣球

☐ d) yì zhī yáng 一隻羊　☐ e) liǎng duǒ yún 兩朵雲　☐ f) liù tiáo yú 六條魚

68

2 Learn the characters.

quǎn
犬
dog

①

②

jiàn
見
see

3 Game.

對

馬力喜歡騎自行車。

INSTRUCTIONS:

1 The whole class may join the game.

2 One student guesses if his class-mate likes doing certain things. The classmate either says "correct" or "incorrect".

xué sheng　　mǎ lì　xǐ huan qí　zì xíng chē
EXAMPLE: 學生1：馬力喜歡騎自行車。

mǎ lì　　duì　　　bú duì
馬力：對。（不對。）

4 CD T29 Listen, clap and practise.

gōng yuán li　　hái zi duō
公園裡，孩子多：

yǒu de huá huá tī　　yǒu de dàng qiū qiān
有的滑滑梯，有的盪秋千，

yǒu de pāi pí qiú　　yǒu de zhuō mí cáng
有的拍皮球，有的捉迷藏。

5 **Make short dialogues.**

EXAMPLE:

A: 你喜歡盪秋千嗎？
nǐ xǐ huan dàng qiū qiān ma

B: 喜歡。（不喜歡。）
xǐ huan bù xǐ huan

6 **Recite the times table on page 120.**

一六得六；……六六三十六。
yī liù dé liù liù liù sān shí liù

7 Say the numbers in Chinese.

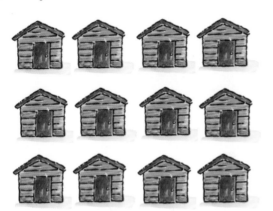

EXAMPLE:

shí èr
十二

1

2

3
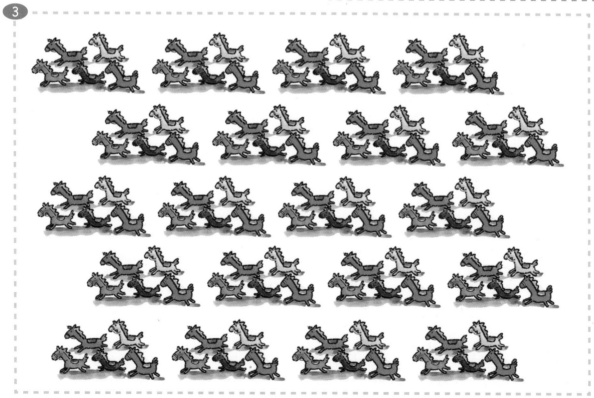

8 CD T30 Listen to the recording. Tick what is correct and cross what is incorrect.

9 Ask five classmates the following questions.

nǐ zǎo shang yì bān jǐ diǎn qǐ chuáng
1) 你早上一般幾點起床？

nǐ zǎo fàn yì bān chī shén me
2) 你早飯一般吃什麼？

nǐ wǎn shang yì bān zuò shén me
3) 你晚上一般做什麼？

nǐ xīng qī liù yì bān zuò shén me
4) 你星期六一般做什麼？

72

10 Colour the picture and describe it in Chinese.

EXAMPLE: 有的人在盪秋千，有的人在……
yǒu de rén zài dàng qiū qiān　　yǒu de rén zài

11 Project.

Design a theme park and describe it to the class.

73

dì shí yī kè
第十一課
lǎo hǔ hé xiǎo tù
老虎和小兔

CD T31

1
lǎo hǔ lái le　kuài bǎ
老虎來了！快把
chuāng zi guānshang
窗子關上！

2
kuài qù bǎ mén guān shang
快去把門關上！

3
bǎ dēng yě guān shang
把燈也關上！

74

④

xiǎo bái tù
小白兔，
qǐng kāi chuāng
請開窗！

⑤

xiǎo bái tù
小白兔，
qǐng kāi mén
請開門！

bù kāi　　bù kāi
不開！不開！
jiù bù kāi
就不開！

bù kāi　　bù kāi
不開！不開！
jiù bù kāi
就不開！

New words:

1. bǎ 把 particle
2. chuāng 窗 window
3. dēng 燈 lamp
4. mén 門 door
   kāi mén 開門 open the door
5. jiù 就 just

1 Say in Chinese.

2 Game.

坐下！

INSTRUCTIONS:

1 This game is just like "Simon says". The whole class may join the game.

2 When the teacher says a command, the students are expected to follow the command.

3 Those who do not follow the command are out of the game.

Phrases:

zuò xia 1) 坐下	kāi mén 2) 開門	kāi dēng 3) 開燈	kāi chuāng 4) 開窗
jǔ shǒu 5) 舉手	pǎo bù 6) 跑步	tī zú qiú 7) 踢足球	zhàn qǐ lai 8) 站起來
qí mǎ 9) 騎馬	chī fàn 10) 吃飯	dàng qiū qiān 11) 盪秋千	qí zì xíng chē 12) 騎自行車……

3 (CD) T32 Listen to the recording. Tick what is correct and cross what is incorrect.

4 Learn the characters.

zú
足
foot

①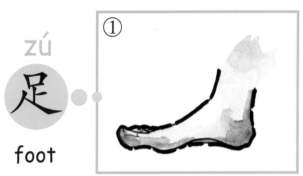

②

zǒu
走
walk

5 CD T33 Listen, clap and practise.

lǎo hǔ yào chī xiǎo bái tù
老虎要吃小白兔。

bái tù guānshang mén
白兔關上門，

bái tù guānshangchuāng
白兔關上窗。

lǎo hǔ jìn bu qù
老虎進不去，

qì de zhí duò jiǎo
氣得直跺腳。

6 Recite the times table on page 120.

yī qī dé qī   qī qī sì shí jiǔ
一七得七；……七七四十九。

78

7 **Ask your classmates the following questions.**

1) 你今年幾歲？你上幾年級？
nǐ jīn nián jǐ suì *nǐ shàng jǐ nián jí*

2) 你是哪國人？你會說什麼語言？
nǐ shì nǎ guó rén *nǐ huì shuō shén me yǔ yán*

3) 你早上一般幾點起床？你吃早飯嗎？
nǐ zǎo shang yì bān jǐ diǎn qǐ chuáng *nǐ chī zǎo fàn ma*

4) 你每天怎麼上學？
nǐ měi tiān zěn me shàng xué

5) 你們學校有操場嗎？有幾個？
nǐ men xué xiào yǒu cāo chǎng ma *yǒu jǐ ge*

6) 你喜歡上什麼課？你不喜歡上什麼課？
nǐ xǐ huan shàng shén me kè *nǐ bù xǐ huan shàng shén me kè*

7) 你喜歡吃什麼？你喜歡喝什麼？
nǐ xǐ huan chī shén me *nǐ xǐ huan hē shén me*

8) 你有什麼愛好？
nǐ yǒu shén me ài hào

8 **Project.**

Create a story and draw a few pictures to illustrate it. Tell the story to the class.

dì shí èr kè
第十二課
guò shēng rì
過生日

CD T34

1
jīn tiān xiǎo guāng guò shēng rì
今天小光過生日。

2
cān zhuō shang yǒu shǔ piàn
餐桌 上有薯片、
shǔ tiáo qiǎo kè lì bǐng
薯條、巧克力、餅
gān bīng qí lín dàn gāo
乾、冰淇淋、蛋糕
děng
等。

80

③ xiǎo gǒu tiào shàng zhuō zi　bǎ dàn gāo chī le
小狗跳上桌子，把蛋糕吃了。

④ xiǎo guāng zuò zài dì shang
小光坐在地上
dà kū le qǐ lai
大哭了起來。

1. guò 過 spend (time)
2. cān zhuō 餐桌 dining table
3. shǔ 薯 potato; yam　shǔ tiáo 薯條 French fries
4. piàn 片 a slice　shǔ piàn 薯片 crisps
5. qiǎo 巧 skilful
6. kè 克 gram　qiǎo kè lì 巧克力 chocolate

7. bǐng 餅 round, flat cake
8. gān 乾 dry　bǐng gān 餅乾 biscuit
9. bīng qí lín 冰淇淋 ice cream
10. gāo 糕 cake　dàn gāo 蛋糕 cake
11. tiào 跳 jump
12. kū 哭 cry

1 Look, read and match.

3 a) shǔ piàn 薯片

5 b) shǔ tiáo 薯條

1 c) qiǎo kè lì 巧克力

4 d) dàn gāo 蛋糕

8 e) bǐng gān 餅乾

2 f) miàn bāo 麵包

6 g) hàn bǎo bāo 漢堡包

7 h) sān míng zhì 三明治

82

2 Learn the characters.

zì jǐ

自 己

oneself

3 Ask your classmates the following questions.

nǐ yì bān jǐ diǎn qǐ chuáng　jǐ diǎn shuì jiào
1) 你 一 般 幾 點 起 床 ？幾 點 睡 覺 ？

nǐ jǐ diǎn qù shàng xué　nǐ zěn me shàng xué
2) 你 幾 點 去 上 學 ？你 怎 麼 上 學 ？

xiàn zài jǐ diǎn　jīn tiān jǐ yuè jǐ hào　xīng qī jǐ
3) 現 在 幾 點 ？今 天 幾 月 幾 號 ？星 期 幾 ？

4 Game.

跳

INSTRUCTIONS:

1 The whole class may join the game.

2 When the teacher says an action word, the students are expected to act it out.

3 Those who do not act accordingly are out of the game.

Action words:

kū tiào pǎo pāi zhàn shuō zuò
哭 跳 跑 拍 站 説 坐……

83

5 [CD T35] Listen to the recording. Tick what is correct and cross what is incorrect.

6 Game.

INSTRUCTIONS:

1 The teacher prepares some cards with Chinese words on them.

2 Each student is given a card and must not show the card to anyone. The students take turns going up to the board to draw a picture of the word.

3 The rest of the class guesses what the word is and says it in Chinese.

Words on the cards:

mén	chuāng	zhuō zi	yǐ zi	shù
1) 門	2) 窗	3) 桌子	4) 椅子	5) 樹
dēng	chuáng	chǐ zi	xiàng pí	juǎn bǐ dāo
6) 燈	7) 床	8) 尺子	9) 橡皮	10) 卷筆刀
liáng xié	wéi jīn	guā fēng	xià yǔ	
11) 涼鞋	12) 圍巾	13) 颱風	14) 下雨⋯⋯	

84

7 Ask your classmates the questions.

nǐ xǐ huan chī shǔ piàn ma
EXAMPLE: 你喜歡吃薯片嗎？

	Number of students		Number of students
shǔ piàn **1** 薯片	正	miàn bāo **2** 麵包	
shǔ tiáo **3** 薯條		miàn tiáo **4** 麵條	
bǐng gān **5** 餅乾		mǐ fàn **6** 米飯	
dàn gāo **7** 蛋糕		líng shí **8** 零食	
qiǎo kè lì **9** 巧克力		niú nǎi **10** 牛奶	
jī dàn **11** 鷄蛋		guǒ zhī **12** 果汁	
rè gǒu **13** 熱狗		kě lè **14** 可樂	

8 Recite the times table on page 120.

yī qī dé qī qī qī sì shí jiǔ
一七得七；……七七四十九

9 Write the characters.

EXAMPLE:

yún

雲

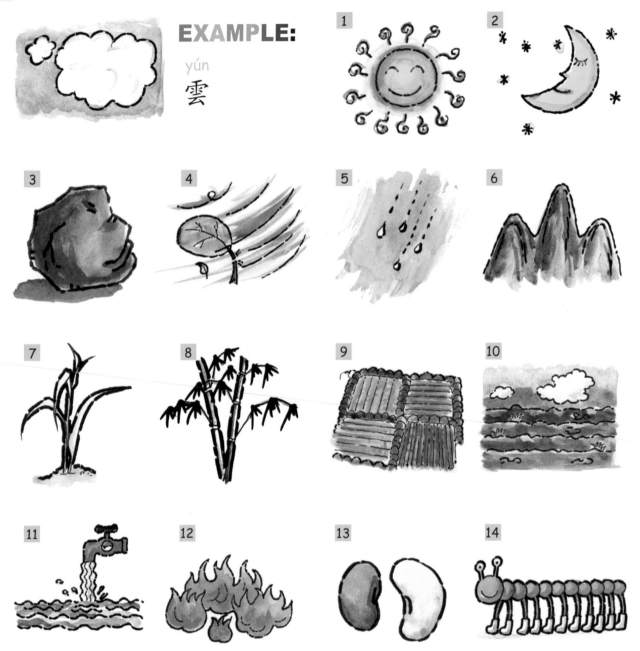

1

2

3

4

5

6

7

8

9

10

11

12

13

14

10 Project.

Design a birthday cake or card for your best friend.

86

11 CD T36 Listen, clap and practise.

wǒ jiā xiǎo mèi mei
我家小妹妹，

zhěng tiān chī bu tíng
整天吃不停：

chī le shǔ piàn chī shǔ tiáo
吃了薯片吃薯條，

chī le bǐng gān chī dàn gāo
吃了餅乾吃蛋糕。

12 Speaking practice.

EXAMPLE:

wǒ jiào gāo wén qín　　　wǒ jiā yǒu sì kǒu rén　　　bà ba　　　mā ma　　　mèi
我叫高文琴。我家有四口人：爸爸、媽媽、妹

mei hé wǒ　　　wǒ xǐ huan chī líng shí　　　wǒ hěn xǐ huan chī qiǎo kè lì hé
妹和我。我喜歡吃零食。我很喜歡吃巧克力和

shǔ piàn　　　wǒ bú tài xǐ huan chī shū cài　　　wǒ měi tiān chī shuǐ guǒ　　　wǒ
薯片。我不太喜歡吃蔬菜。我每天吃水果。我

hěn xǐ huan chī xiāng jiāo
很喜歡吃香蕉……

IT IS YOUR TURN!

Introduce your family members and say
what they like to eat and drink.

dì shí sān kè

第十三課

xǐ huan chī shén me

喜歡吃什麼

CD T37

xiǎo guāng hěn xǐ huan chī ròu

1 小 光 很 喜 歡 吃 肉 。

tā xǐ huan chī jī ròu niú ròu yáng ròu hé zhū ròu

2 他 喜 歡 吃 鷄 肉 、 牛 肉 、 羊 肉 和 豬 肉 。

88

3 favorite

tā zuì xǐ huan chī niú pái
他最喜歡吃牛排。

4

tā hái xǐ huan chī huǒ tuǐ ròu
他還喜歡吃火腿肉
hé xiāng cháng
和香 腸。

New words:

1 肉 ròu meat

鷄肉 jī ròu chicken (meat)

牛肉 niú ròu beef

火腿肉 huǒ tuǐ ròu ham

2 羊 yáng sheep 羊肉 yáng ròu lamb

3 豬 zhū pig 豬肉 zhū ròu pork

4 最 zuì most

5 排 pái line; row

牛排 niú pái beefsteak

6 腸 cháng intestines 香腸 xiāng cháng sausage

1 Look, read and match.

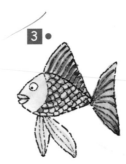

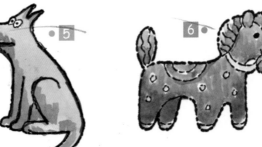

7 a) 豬 zhū

4 b) 牛 niú

1 c) 羊 yáng

6 d) 馬 mǎ

2 e) 鷄 jī

5 f) 狗 gǒu

8 g) 貓 māo

3 h) 魚 yú

90

2 **Ask your classmates the following questions.**

nǐ xǐ huan chī zhū ròu ma

EXAMPLE: 你喜歡吃豬肉嗎？

	Number of students		Number of students
zhū ròu ①豬肉	正	niú pái ②牛排	
niú ròu ③牛肉		xiāng cháng ④香腸	
yáng ròu ⑤羊肉		huǒ tuǐ ròu ⑥火腿肉	
jī ròu ⑦鷄肉		yú ⑧魚	

3 **Game.**

鷄

INSTRUCTIONS:

1 The class is divided into small groups.

2 Each group is asked to add one word to form a phrase. The students may write pinyin if they cannot write characters.

3 The group making more correct phrases than any other groups wins the game.

jī

EXAMPLE: 鷄蛋

4 Learn the characters.

fù
父
father

mǔ
母
mother

parents

5 Ask your classmates the following questions.

nǐ xǐ huan shén me dòng wù
1) 你喜歡什麼動物？

nǐ men jiā yǎng chǒng wù ma　　yǎng le shén me chǒng wù
2) 你們家養寵物嗎？養了什麼寵物？

nǐ nǎ nián chū sheng　　nǐ shǔ shén me
3) 你哪年出生？你屬什麼？

nǐ xǐ huan chī ròu ma　　xǐ huan chī shén me ròu
4) 你喜歡吃肉嗎？喜歡吃什麼肉？

nǐ xǐ huan chī yú ma
5) 你喜歡吃魚嗎？

nǐ xǐ huan chī shén me líng shí
6) 你喜歡吃什麼零食？

92

6 CD T38 **Listen to the recording. Tick what is correct and cross what is incorrect.**

| ✓ | 1 | 2 | ✓ |

| ✓ | 3 | 4 | ✗ |

7 CD T39 **Listen, clap and practise.**

bà ba ài chī ròu
爸爸愛吃肉：

zhū ròu　　niú pái　　huǒ tuǐ ròu
豬肉、牛排、火腿肉。

mā ma ài chī yú
媽媽愛吃魚：

dài yú　　huáng yú　　sān wén yú
帶魚、黃魚、三文魚。

8 **Recite the times table on page 120.**

yī bā dé bā　　　　bā bā liù shí sì
一八得八；……八八六十四。

93

9 **Design a zoo for your hometown and include the animals below.**

hóu zi　　lǎo hǔ　　dà xiàng　　shī zi　　mǎ　　gǒu　　māo　　niú　　yáng
猴子　老虎　大象　獅子　馬　狗　貓　牛　羊

shé　　xióng māo　　hēi xióng　　tù zi　　shù xióng
蛇　熊貓　黑熊　兔子　樹熊

10 Game.

EXAMPLE:

我媽媽 ＋ 喜歡 ＋ 吃魚 ＝ 我媽媽喜歡吃魚。

（wǒ mā ma xǐ huan chī yú）

11 Project.

Create a new kind of animal by combining two different animals. Let the students guess what animals you used.

95

dì shí sì kè
第十四課
chī xī cān
吃西餐

CD T40

1
tián bīng shì zhōng guó rén　　tā zài měi guó chū shēng
田冰是中國人。她在美國出生。

2
tā bú tài xǐ huan chī zhōng cān
她不太喜歡吃中餐。
tā xǐ huan chī xī cān
她喜歡吃西餐。

3
tā xǐ huan chī yì dà lì miàn
她喜歡吃意大利麵、
bǐ sà bǐng　　shā lā děng děng
比薩餅、沙拉等等。

96

4 她還喜歡吃酸奶
tā hái xǐ huan chī suān nǎi

和奶酪。
hé nǎi lào

5 她奶奶開玩笑
tā nǎi nǎi kāi wán xiào

說："你不是
shuō nǐ bú shì

中國人了！"
zhōng guó rén le

New words:

1. 中餐 zhōng cān Chinese food
2. 西餐 xī cān Western food
3. 意 yì meaning
4. 利 lì sharp　意大利 yì dà lì Italy
   意大利麵 yì dà lì miàn spaghetti
5. 比 bǐ compare

比薩 bǐ sà Pisa, Italy
比薩餅 bǐ sà bǐng pizza
6. 沙 shā sand
7. 拉 lā pull　沙拉 shā lā salad
8. 酸 suān sour　酸奶 suān nǎi yoghurt
9. 酪 lào milk curd　奶酪 nǎi lào cheese

1 Look, read and match.

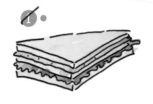

2 a) 奶酪 nǎi lào

4 b) 酸奶 suān nǎi

6 c) 蛋糕 dàn gāo

1 d) 三明治 sān míng zhì

3 e) 蔬菜湯 shū cài tāng

8 f) 比薩餅 bǐ sà bǐng

5 g) 意大利麵 yì dà lì miàn

7 h) 水果沙拉 shuǐ guǒ shā lā

98

2 Learn the characters.

zǐ
子
son; child

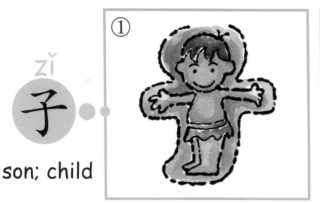

①

②

nǚ
女
female

3 Game.

INSTRUCTIONS:

1 The class is divided into small groups.

2 Each group is asked to write radicals.

3 The group writing more correct radicals than any other groups wins the game.

4 Project.

Create a new kind of vegetable by combining two different vegetables. Let the students guess what vegetables you used.

5 Ask your classmates the following questions.

	hěn xǐ huan 很喜歡	xǐ huan 喜歡	bú tài xǐ huan 不太喜歡	bù xǐ huan 不喜歡
nǐ xǐ huan chī zhōng cān ma 1) 你喜歡吃中餐嗎？	正	正	下	一
nǐ xǐ huan chī xī cān ma 2) 你喜歡吃西餐嗎？				
nǐ xǐ huan chī kuài cān ma 3) 你喜歡吃快餐嗎？				
nǐ xǐ huan chī líng shí ma 4) 你喜歡吃零食嗎？				

Report back to the class:

EXAMPLE:

wǔ ge tóng xué hěn xǐ huan chī zhōng cān sì ge
五個同學很喜歡吃中餐。四個

tóng xué xǐ huan chī zhōng cān sān ge tóng xué bú
同學喜歡吃中餐。三個同學不

tài xǐ huan chī zhōng cān yí ge tóng xué bù xǐ
太喜歡吃中餐。一個同學不喜

huan chī zhōng cān wǒ bān tóng xué dōu xǐ huan chī
歡吃中餐。我班同學都喜歡吃

xī cān
西餐……

100

6 (CD)(T41) **Listen to the recording. Tick what is correct and cross what is incorrect.**

1 ✓ 2 ✓ 3 ✗ 4 ✓

7 (CD)(T42) **Listen, clap and practise.**

wǒ měi tiān chī de kě zhēn duō
我每天吃得可真多：

niú nǎi miàn bāo jiā shuǐ guǒ
牛奶、麵包加水果；

suān nǎi bǐng gān jiā nǎi lào
酸奶、餅乾加奶酪；

shǔ piàn qì shuǐ jiā dàn gāo
薯片、汽水加蛋糕。

8 Colour the pictures, then say the names and colours in Chinese.

EXAMPLE:

tài yáng　　hóng sè
太陽：紅色

shān　　zōng sè
山：棕色

9 Recite the times table on page 120.

yī bā dé bā　　　　bā bā liù shí sì
一八得八；……八八六十四。

102

10 Speaking practice.

EXAMPLE:

tā **xiǎng** chī qiǎo kè li
他 想 吃巧克力。

103

dì shí wǔ kè
第十五課
chī shuǐ guǒ
吃水果

huáng xiǎo hóng hěn bù xǐ huan chī ròu
1 黃小紅很不喜歡吃肉。

tā xǐ huan chī shuǐ guǒ
2 她喜歡吃水果。

tā xǐ huan chī pú tao lǐ zi xī guā cǎo méi lí
3 她喜歡吃葡萄、李子、西瓜、草莓、梨、
jú zi děng
桔子等。

④

tā zuì xǐ huan chī xiāng
她最喜歡吃香
jiāo hé táo zi
蕉和桃子。

⑤

yé ye kāi wán xiào shuō
爺爺開玩笑說：
nǐ shǔ hóu de
"你屬猴的"。

New words:

1. ^{pú tao} 葡萄 grape
2. ^{lǐ} 李 plum; surname ^{lǐ zi} 李子 plum
3. ^{xī guā} 西瓜 watermelon
4. ^{cǎo} 草 grass

5. ^{méi} 莓 berry ^{cǎo méi} 草莓 strawberry
6. ^{lí} 梨 pear
7. ^{jú} 桔 orange ^{jú zi} 桔子 orange
8. ^{táo} 桃 peach ^{táo zi} 桃子 peach

1 Look, read and match.

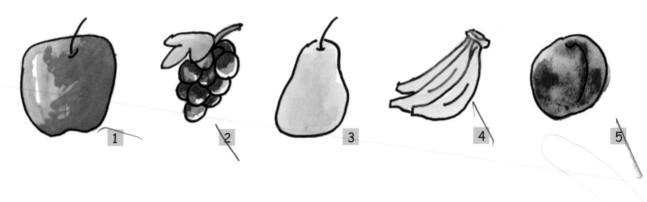

5 a) 李子 lǐ zi

4 b) 香蕉 xiāng jiāo

8 c) 草莓 cǎo méi

6 d) 藍莓 lán méi

2 e) 葡萄 pú tao

1 f) 蘋果 píng guǒ

9 g) 桔子 jú zi

10 h) 西瓜 xī guā

3 i) 梨 lí

7 j) 桃子 táo zi

106

2 Learn the characters.

zuǒ
左
left

yòu
右
right

3 [CD T44] Listen, clap and practise.

mā ma zuì ài chī shuǐ guǒ
媽媽最愛吃水果，
tā bǎ shuǐ guǒ dàng fàn chī
她把水果當飯吃：
chī le pú tao chī lǐ zi
吃了葡萄吃李子，
chī le cǎo méi chī táo zi
吃了草莓吃桃子。

4 Recite the times table on page 120.

yī jiǔ dé jiǔ   jiǔ jiǔ bā shí yī
一九得九；……九九八十一。

5 (CD)(T45) **Listen to the recording. Tick what is correct and cross what is incorrect.**

6 **Choose the ingredients from page 109 and tell the class your recipe.**

EXAMPLE:

zuò miàn bāo yào yòng miàn fěn
做 麵 包 要 用 麵 粉 、

táng shuǐ jī dàn děng
糖 、 水 、 鷄 蛋 等 。

You are going to make:

miàn bāo
1) 麵包

shū cài shā lā
2) 蔬菜沙拉

qiǎo kè lì dàn gāo
3) 巧克力蛋糕

shuǐ guǒ shā lā
4) 水果沙拉

sān míng zhì
5) 三明治

bǐ sà bǐng
6) 比薩餅

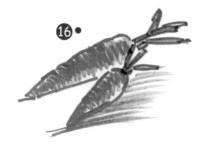

7 **Ask your partner the following questions.**

nǐ xǐ huan chī shén me shuǐ guǒ 1) 你喜歡吃什麼水果？	xǐ huan pú tao xī guā 喜歡：葡萄、西瓜……
nǐ xǐ huan chī shén me líng shí 2) 你喜歡吃什麼零食？	
nǐ xǐ huan hē shén me 3) 你喜歡喝什麼？	
nǐ xǐ huan chī shén me ròu 4) 你喜歡吃什麼肉？	
nǐ xǐ huan chī shén me kuài cān 5) 你喜歡吃什麼快餐？	
nǐ xǐ huan chī shén me zhōng cān 6) 你喜歡吃什麼中餐？	

Report back to the class:

EXAMPLE:

Xiǎo wén xǐ huan chī pú tao xī guā hé cǎo méi
小文喜歡吃葡萄、西瓜和草莓。

tā xǐ huan chī qiǎo kè lǐ tā xǐ huan hē jú zi
她喜歡吃巧克力。她喜歡喝桔子

zhī tā xǐ huan chī niú ròu hé jī ròu tā xǐ
汁。她喜歡吃牛肉和鷄肉。她喜

huan chī rè gǒu tā xǐ huan chī dàn chǎo fàn
歡吃熱狗。她喜歡吃蛋炒飯。

110

8 Game.

Action words:

chuān	kū	tán
1) 穿	2) 哭	3) 彈
dài	xiào	kàn
4) 戴	5) 笑	6) 看
jiào	tiào	zuò
7) 叫	8) 跳	9) 坐
wèn	pǎo	zhàn
10) 問	11) 跑	12) 站
shuō	tī	dàng
13) 說	14) 踢	15) 盪
chī	zhuō	huá
16) 吃	17) 捉	18) 滑
hē	lā	shuā
19) 喝	20) 拉	21) 刷
kāi	dǎ	xǐ
22) 開	23) 打	24) 洗
guān	pāi	jiǎn
25) 關	26) 拍	27) 剪

INSTRUCTIONS:

1 The whole class is divided into pairs.

2 Student A picks up a card with an action word on it, and Student B has to act it out.

3 If Student B acts incorrectly, the pair is out of the game.

9 Project.

Create a new kind of fruit by combining two different fruits. Let the students guess what fruits you used.

 +  =

dì shí liù kè
第十六課
lù shang rén zhēn duō
路上人真多

CD T46

xiǎo guāng de dì di yí ge rén zǒu chū le jiā mén
① 小光的弟弟一個人走出了家門。

dà mǎ lù shang rén zhēn
② 大馬路上 人真
duō chē yě duō
多，車也多。

③

dì shang yǒu gōng gòng qì
地上 有公 共汽
chē　　　kǎ chē　　　xiǎo
車、卡車、小
bā　　chū zū chē děng
巴、出租車等。

④

tiān shàng yǒu fēi jī
天上有飛機。

⑤

xiǎo dì di kàn bu jiàn bà ba
小弟弟看不見爸爸、
mā ma　　　tā kū le
媽媽，他哭了。

New words:

1. 馬路 mǎ lù road; street
2. 真 zhēn true; real
3. 地上 dì shang on the ground
4. 共 gòng common; general
   公共 gōng gòng public
5. 汽 qì steam　汽車 qì chē car
   公共汽車 gōng gòng qì chē (public) bus
6. 卡 kǎ card　卡車 kǎ chē truck; lorry
7. 小巴 xiǎo bā minibus
8. 租 zū rent　出租 chū zū rent
   出租車 chū zū chē taxi
9. 天上 tiān shàng sky
10. 飛機 fēi jī plane
11. 看見 kàn jian see

1 Ask your partner the following questions.

1) 你每天怎麼上學？
nǐ měi tiān zěn me shàng xué

2) 你爸爸每天怎麼上班？
nǐ bà ba měi tiān zěn me shàng bān

3) 你們家有小汽車嗎？你爸爸會開車嗎？
nǐ men jiā yǒu xiǎo qì chē ma　nǐ bà ba huì kāi chē ma

4) 你會騎自行車嗎？你喜歡騎車嗎？
nǐ huì qí zì xíng chē ma　nǐ xǐ huan qí chē ma

5) 你喜歡坐什麼車？
nǐ xǐ huan zuò shén me chē

2 Look, read and match.

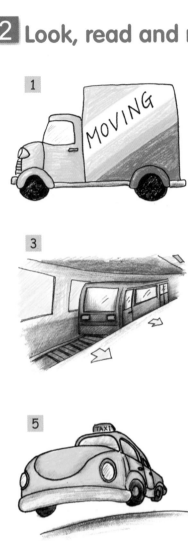

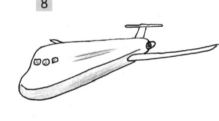

6 a) 小巴 — xiǎo bā

b) 火車 — huǒ chē

c) 電車 — diàn chē

d) 飛機 — fēi jī

e) 地鐵 — dì tiě

f) 卡車 — kǎ chē

g) 渡船 — dù chuán

h) 自行車 — zì xíng chē

i) 出租車 — chū zū chē

j) 公共汽車 — gōng gòng qì chē

115

3 Learn the characters.

chū
出
go or
come out

rù
入
go in or
come in

4 Recite the times table on page 120.

yī jiǔ dé jiǔ
一九得九；……
jiǔ jiǔ bā shí yī
九九八十一。

5 (CD)(T47) Listen, clap and practise.

mǎ lù shang chē zhēn duō
馬路上，車真多：

kǎ chē diàn chē xiǎo qì chē
卡車、電車、小汽車，

gōng gòng qì chē chū zū chē
公共汽車、出租車，

hái yǒu gè shì zì xíng chē
還有各式自行車。

116

6 (CD)(T48) **Listen to the recording. Tick what is correct and cross what is incorrect.**

7 **Game.**

EXAMPLE:

lǎo shī
老師：Female.
xué sheng　　nǚ
學生：女。

INSTRUCTIONS:

1 The class is divided into small groups.

2 Each group is asked to write characters.

3 The group writing more correct characters than any other groups wins the game.

8 Say in Chinese.

1 Things you see:

rè qì qiú
熱氣球……

2 Colours you see:

hóng sè
紅色……

9 Answer the following questions.

shén me dòng wù yǒu sì tiáo tuǐ
1) 什麼動物有四條腿？

shén me dòng wù yǒu liǎng tiáo tuǐ
2) 什麼動物有兩條腿？

shén me dòng wù kě yǐ zài tiān
3) 什麼動物可以在天

shàng fēi
上飛？

shén me dòng wù kě yǐ zài shuǐ
4) 什麼動物可以在水

zhōng yóu
中游？

shén me dòng wù kě yǐ zài dì
5) 什麼動物可以在地

shangpǎo
上跑？

shén me dòng wù shēnshang yǒu máo
6) 什麼動物身上有毛？

118

10 Group work: circle as many phrases as possible within a set period of time.

táo 桃	jú 桔	niú 牛	zhū 豬	jī 鷄	shuǐ 水	hóng 紅	shǔ 薯	tiáo 條	shā 沙
lǐ 李	zi 子	yáng 羊	ròu 肉	píng 蘋	guǒ 果	diàn 電	tī 梯	piàn 片	lā 拉
suān 酸	nǎi 奶	lào 酪	xiāng 香	cháng 腸	zhī 汁	dòng 動	wù 物	chǎo 炒	miàn 麵
qiǎo 巧	kè 克	lì 力	jiāo 蕉	bīng 冰	qí 淇	lín 淋	shēng 生	cài 菜	huā 花
shàng 上	bān 班	liàn 練	zuò 做	zuò 作	yè 業	yù 浴	sān 三	míng 明	zhì 治
xià 下	kè 課	xí 習	fàn 飯	dà 大	jiào 教	shì 室	jīn 今	tiān 天	kàn 看
rì 日	jì 記	běn 本	yǔ 雨	xuě 雪	shī 師	diàn 電	nǎo 腦	yóu 遊	xì 戲

11 Project.

Create three types of transport: one that can fly, one that can run on the ground and another that can travel in water. Try to name each of your inventions.

chéng fǎ kǒu jué biǎo
乘法口訣表

TIMES TABLE

yī yī dé yī
一一得一

yī èr dé èr　èr èr dé sì
一二得二　二二得四

yī sān dé sān　èr sān dé liù　sān sān dé jiǔ
一三得三　二三得六　三三得九

yī sì dé sì　èr sì dé bā　sān sì shí èr　sì sì shí liù
一四得四　二四得八　三四十二　四四十六

yī wǔ dé wǔ　èr wǔ shí　sān wǔ shí wǔ　sì wǔ èr shí　wǔ wǔ èr shí wǔ
一五得五　二五一十　三五十五　四五二十　五五二十五

yī liù dé liù　èr liù shí èr　sān liù shí bā　sì liù èr shí sì　wǔ liù sān shí　liù liù sān shí liù
一六得六　二六十二　三六十八　四六二十四　五六三十　六六三十六

yī qī dé qī　èr qī shí sì　sān qī èr shí yī　sì qī èr shí bā　wǔ qī sān shí wǔ　liù qī sì shí èr　qī qī sì shí jiǔ
一七得七　二七十四　三七二十一　四七二十八　五七三十五　六七四十二　七七四十九

yī bā dé bā　èr bā shí liù　sān bā èr shí sì　sì bā sān shí èr　wǔ bā sì shí　liù bā sì shí bā　qī bā wǔ shí liù　bā bā liù shí sì
一八得八　二八十六　三八二十四　四八三十二　五八四十　六八四十八　七八五十六　八八六十四

yī jiǔ dé jiǔ　èr jiǔ shí bā　sān jiǔ èr shí qī　sì jiǔ sān shí liù　wǔ jiǔ sì shí wǔ　liù jiǔ wǔ shí sì　qī jiǔ liù shí sān　bā jiǔ qī shí èr　jiǔ jiǔ bā shí yī
一九得九　二九十八　三九二十七　四九三十六　五九四十五　六九五十四　七九六十三　八九七十二　九九八十一